용이 비를 내리는 나라

차 례

14화 … 006

15화 … 032

16화 … 058

17화 … 086

18화 … 122

19화 … 148

20화 … 184

21화 … 210

용이 비를 내리는 나라

3부

3

글·그림 썸머

D&C WEBTOON Biz

※ 원작의 설정을 살리고자 맞춤법에 따르지 않은 부분과 비속어 표현이 있습니다.

※ 이 책은 웹툰 「용이 비를 내리는 나라」 145~163화 연재분 원고의 편집본입니다.

14화

어째서 내가 특별하다고,
공자님!
지켜 주겠다고 말하면서

공자님이 아랫마을에 오셨다는 의원님이시죠?
혹시 저희 집에 잠깐만 들러 주실 수 있으실까요?!

저희 어머니께서 아프세요….

넘어지면서 머리를 부딪치셨는데 그 뒤로 계속 어지럽다고 하셔서….
엄마 넘어진 거 아니잖아, 아버지가….
넌 조용히 해!
내가 정말 원하는 말만은 해 주지 않는 건가요.

그런
당신이

그 전에
네 얼굴부터
봐 줘야겠구나.

불쌍해요.

엉망진창이라 해도
이건 내 인생이고….
이래 보여도
나는 내 인생을
소중히 하고
싶다고요.

나는
그 남자처럼
강하지 못해요.
그렇게는
살 수 없어요….

더 이상
내 운명을 남의 손에
맡기는 것도
싫고요.
수련이
강한가?

수련은 그저
자기 자신의 운명에 대해
잘 알고 있는
것뿐이라고 생각해.

수련도 어렸을 땐
스우처럼
왜 하필 나인 거야,
하는 생각을
자주 했어.

예를 들어 볼까?
인간들은 뭐든
의미 부여하는 걸
좋아하니까….

평범한 나무가
어느 날 벼락을 맞아,
하루아침에 신목이 되는 것도
대단한 운명처럼
보이겠지만…
사실은
그 나무의 가지가 그 숲 안에서
제일 높게 솟아 있었기 때문에
벼락을 끌어들인 거지.

나무가
스스로 벼락을
끌어들였다면,
받아들이는 것도 
나무의 몫이라는 걸
수련은 아는 거야.

스스로 내린
수많은 선택의
총합.

그런 게
운명이야.

그 전에는…
노예로
팔려 왔던가.

사막의
노예 사냥꾼에게
스승님 일행이
표적이 되어서.

어째서
스승님을
만나게 됐더라?

지금 생각해 보면
스승님은 최소,
중간 관리급 이상의
신관이었던 것 같다….

맞아….
스승님이
거리에서
나를 샀다.

그전에는?

내가 기억하는
가장 오래된
장소….

그때도 나는
어떤 신전에
있었다.

처음부터
여기에
있었던 것은
아니다.
스우.

제대로 얼굴을
가리도록 하세요.
신성은 쉽게
사라지니까.
이 땅의 용께서
좋아하지
않으실 겁니다.
서두르죠.
왕자님이
기다리시니까요.

……?

신전에 발탁된
아이의 부모는
적당한 재물을
받을 수 있었다.
아…
미안해요,
무심코.

물론
누구나 발탁되지는
않았다.

귀가 들리지
않았었죠.

귀가
들리지 않는 것이
조건이었기
때문에….

거기서
무슨 일을
했더라?
대단한 일을 하진
않았던 것 같다.

스우!

어서 와서
앉아.

신전이 무엇을 위해
아이들을
뽑았는지는
몰라도….

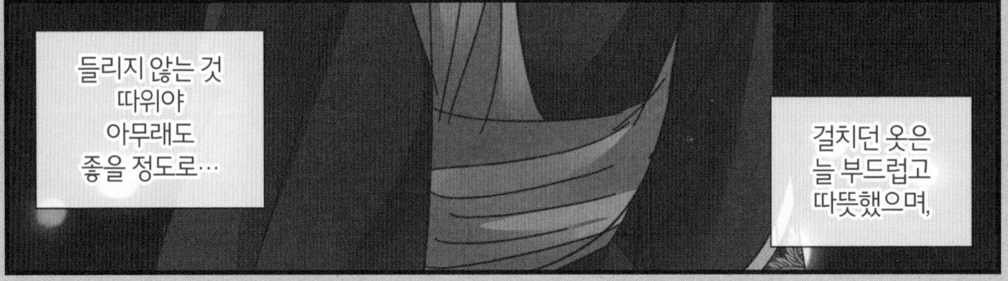

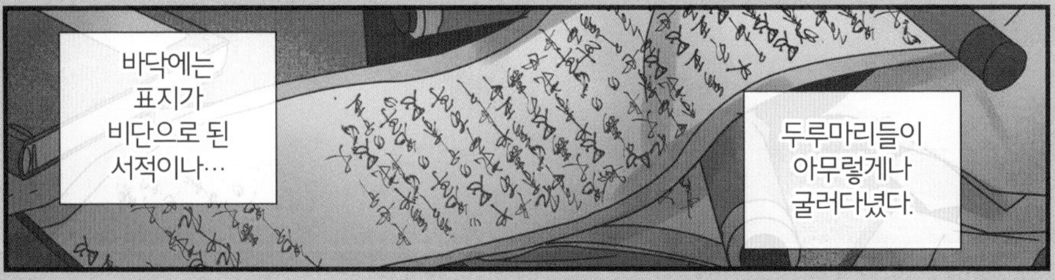

이런 거라면…
나쁘지 않다고
생각했다.

내 머릿속에
가장 오래도록
선명하게 남은
기억은

어느 작은 나라의
신전에서
호롱에 기름을
넣던 것이다.

라한에 비교하면
나라라고
부르기에도
민망한…
도시 하나 정도의
규모였던
그곳 또한,
아주 오랫동안
비가 내리지
않아서

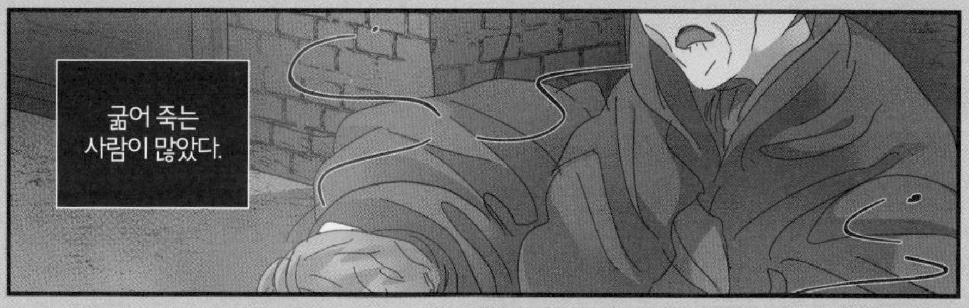
굶어 죽는
사람이 많았다.

가뭄이 이어지자,
사람들은 신전에
공물을 바치며

뭐든 매달려
빌고
의지했는데….

신기한 것은,
그렇게
빌다가도…
절레…

신앙이 한순간에
증오로 돌변하기도
한다는 것이다.

백성의 고통에
답해 주지 않는
무능한 신전,
비구름을
불러오지 못하는
무능한
왕족과 신관들.
또 누가
죽었나 보구나.

바깥에선
다들 저렇게나
고통받고 있어….

우리의 책임이
막중하구나….

귀가 들리지 않아도
돌아가는 상황이
심상치 않다는 것은
알 수 있었다.

그게
아닙니다!
아직도 그걸
완벽히
이해하지 못하면
어떡합니까!!
안타까운 건

대체 몇 번을
반복해야 합니까?!
선왕께서는….
그나마 왕자라고
있는 것도
바보라는 거다.
죄송합니다.

맨날
혼나는 것
같아.
거기다 한 가지
마음에
걸리는 건…

단지
호롱불의
기름을 갈고,
작은 왕자의
시중을 드는
정도의 일인데…
어째서 부모에게
그 정도로
많은 돈을
지불하는지였다.

어째서
귀가 들리지 않는
아이만
발탁하는 걸까.

…어라?

소리가
들려.

물에 잠긴 듯
흐릿하지만…
확실하게
들리는 것
같은데….

멀게 된 줄
알았던 귀가
다시 들리다니,
그건 전혀
좋은 소식이
아니었다.

앞서 말했다시피
신전 밖의 상황은
끔찍했고,
귀가 들리게 된다면
여기에 있을 수
없게 된다.

그래서 나는
귀가 들리지 않는 척
연기를 계속했다.

그러자
본의 아니게
많은 것을
알게 되었다.
세상에는
성문이라 하는
신성한 언어가
있고,

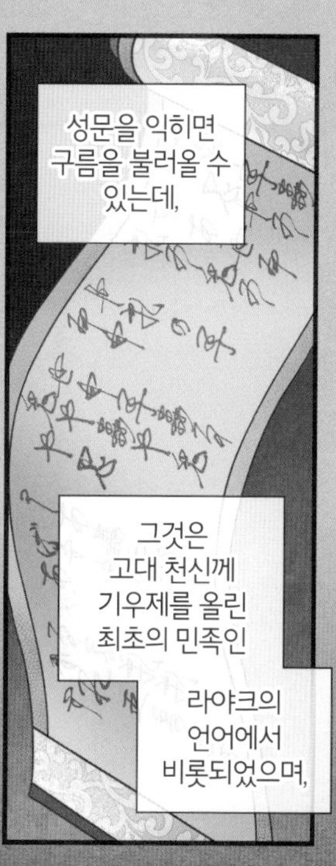
성문을 익히면
구름을 불러올 수
있는데,
그것은
고대 천신께
기우제를 올린
최초의 민족인
라야크의
언어에서
비롯되었으며,

지금은 소수에게만
입에서 입으로
전해 내려온다는
것이었다.

그 소수란
고대 선택받은
아홉 왕국의
혈통들을 뜻했다.

선택받았다는
자들끼리만
그 문자를
공유해야 하니,
귀가 들리지
않는 아이들만
시종으로
쓰는 거야.

하지만 내심
어딘가 현실성 없는
이야기라고
생각하고 있었다.
비밀로 한다는 건…
성문을 알게 되면
누구나 비를 내릴 수
있다는 뜻이니까.

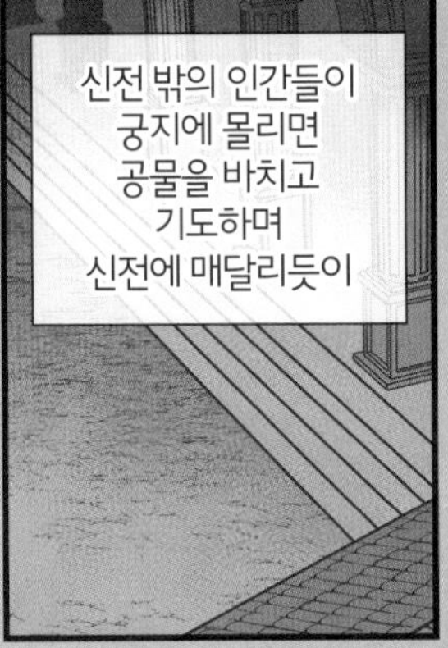
신전 밖의 인간들이
궁지에 몰리면
공물을 바치고
기도하며
신전에 매달리듯이

신전 안의 사람들도
궁지에 몰리면
신이니 용이니 하는 것에
매달리는 것뿐이라고.

내부의 결속을 위해
만들어 낸
암호 같은 문자일
뿐이라고 생각했다.
어느 순간부터
그 언어가
이해되기 전까지는.

그리고…
…?
…거기선
가 아니고
가 와야지.
바보야….
예요.
그 둘은
전혀 다릅니다.

어느 순간부턴
내가 수업을 받고
있는 것 같아.

제사장님,
바깥 분위기가
심상치 않아요.

이제 한계입니다.
신전의 고를 열어도
식량이 부족해요.

그래도
다른 땅을 찾기 전까지
해 볼 만한 건
다 해 봐야 해요.
길일에 쓸
제물의 준비는?
어떻게 되어
가고 있죠?

정결한 어린아이여야 합니다.
왕자의 곁에 두어서 신성을 높여야 하고요.
광장에 사람들을 모아 두세요.
거기서 심장을 꺼내서 하늘에….

어디에 있었—
아!
쾡강!

아아아악!!
왕자님?!
이게 무슨…!!

왕자님!
누가 빨리
물을 가져와!!
밖으로
나가야 해…!

밖으로…!
문을 부수자!!

신전이 부정해서
비가 내리지
않는 거야!!
밖에는
화가 난 사람들이
잔뜩 몰려와 있었다.

어쩌면
나…

그때의
제단 위에서

아직도
내려오지 못한 게
아닐까?

용이 비를 내리는 나라

15화

그 뒤로는
모든 게 순식간에
이뤄졌다.

신전에서
도망쳐 나온 나는
사람들 사이에 섞여
다른 도시로 이동했다.
그곳에서
스승님을 만났다.
…억양이
독특하구나.

당시 머물던 땅에는
어린아이의 눈으로 봐도
이상한 종교들이
횡행했기 때문에,

어쩌면
스승이라는 사람도
그들 중 하나이지 않을까
생각했던 기억만
남아 있다.

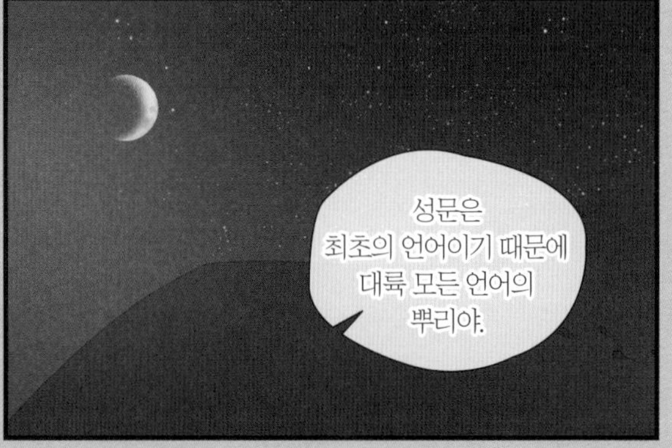
성문은
최초의 언어이기 때문에
대륙 모든 언어의
뿌리야.

성문을
제대로 배워 두면
대륙의 그 어떤 언어도
익히기 쉬울 거야.
스우 너는
언어적 재능이 뛰어나니,
성문도 금방 배우겠지.
비를 내릴 수 있는
인간이 늘어나는 건
기쁜 일이니.

사기꾼이든 사이비든
스승님하고 있을 때는
나름 잘 먹고 잘 잤다.
뭐, 결국은
그게 중요한 거지.

살면서
굳이 겪지 않아도
좋았을
일들이었지만,

그 일들 덕에
라한에서는
나름 쉽게 살아남을 수
있었다는 것만은
확실하다.

이상한
일이다.
결국 지금을
살게 하는 것이
지나온
불행들이라니.

…내가,

그래도
돌아가기
싫다고 하면…
계속 나랑
같이 갈 거예요?
흐아아암~

나는 당연히
어디까지라도
스우랑 갈 거야.

하지만
스우는
돌아갈걸?

스우는 수련을
불쌍하게
생각하니까.

불쌍하게도.
절대
그렇지 않다고,

아닌데요?
으응….
새벽이 올 때까지
우겼지만,
귓등으로도
듣지 않았다.
아니라고요.

한숨도 못 자는
내 옆에서

호국룡이라는
남자는 아주
꿀같이 잘 잤다.

있죠,
내가 만약에
황궁으로
돌아가면….

…말 못 해.

꽉…
너무
뻔뻔하잖아.

동이 트자마자
약속 장소로 갔다.
변명 같지만…
아니,
변명이지만.
행여 초조하게
나를 기다리지
않을까 해서.

켁,
내가 이럴 줄 알았다.
응…?

당신은….

송구하오나 전하께서는 새벽에 먼저 황궁으로 떠나셨습니다.
급한 일이 생기셔서요.
슥

…이런
남자였지.
아…
그래요.
전하의 마음에 대해
오해하실까 봐
우려되어 올리는
말씀입니다만…

어젯밤 갑작스레
여기서 조금 떨어진
촌락에 의원으로
불려 가셨는데….

병자들이
몰려들어서
동이 틀 때까지
한 명 한 명
돌봐 주시느라…
때에 맞춰
들르기가 어렵다고
하셨습니다.

우리 전하…
너무 자상하시고
마음이 따뜻하시지
않나요?
장점을 호소
아, 예….

이건
그분의 뜻과
별개로…
돌아와 주신다니
주군의 신하로서
감사드립니다.

워낙
즐거운 게 없는
분이시라서요.

…….
…미안하지만,
나는 안 가요.
이 말을 하러 온 거예요.
혹시나 기다리시느라
시간을 허비하실까 봐.

태자 전하께는…
강녕하시라고
전해 주세요.

…그러십니까.

그럼
스우 님께 남기신
전하의 전언을
읊겠습니다.
……?

솔직히
제정신이면
가기 싫죠,
황궁….
이해합니다….
이상한
사람이다….

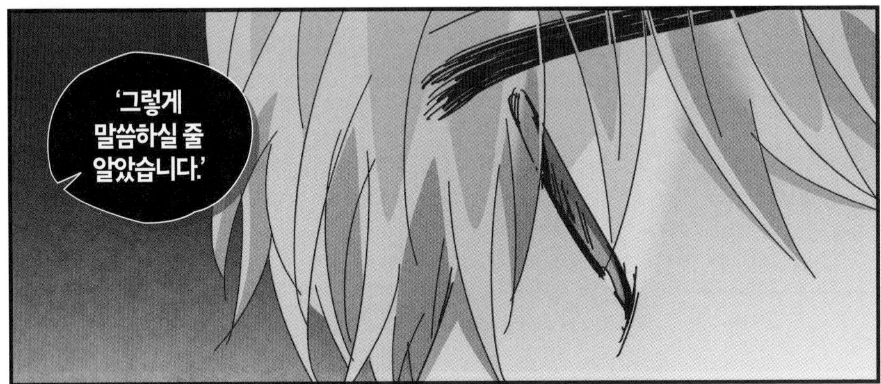
'그렇게
말씀하실 줄
알았습니다.'

'불편하시겠지만,
며칠 희건과 함께
동행해 주십시오.'

'나단이란 남자가
지내고 있는 곳으로
안내할 겁니다.'

왜 그렇게
무섭게 봐?
난 몰랐어.

그러게
내가 수도 없이
말했잖아.
수련은
쓰레기라고.

정황상
사고라기보다는
방화라고
사료됩니다만….
갑작스러운 화재로
하마터면
그가 죽을 뻔한 것은
사실입니다.

뭐, 여러가지로
운이 좋았죠.
전하께서 미리
그를 다른 곳으로
옮겨 둔
후였으니까요.

그런
기적 같은 일이
생길 수는 없어요.

어떻게 된 건지
제대로
설명해 주세요.
…제게
그럴 의무가
있나요?

황궁으로
돌아가시지 않겠다고
말씀하셨으니,
앞으로 전하와 당신은
아무 상관없는 사이죠.
아시다시피
저는 전하의 명령을
따르는 사람이고요.
신하된 도리로
황궁 내부의 사정을
외부인에게 말할
이유가 없습니다.

아.
다행히
그 부분에 대해서는
전하께서 말씀하신 바가
있네요.

당신들이 그동안
나단을 고문하고
협박했다면…
나단은 그렇게 만든
날 증오할 텐데,
내가 그가 있는 곳으로
갈 수 있다고
생각해요?

스우가 결정했다면
그의 마음은 아무래도
상관없다고 하셨어요.
어차피
그분께선….

나쁜 기억 같은 건
전부 잊고
다시 시작하게
만들어 주실 수
있으니까요.
?

누굴
찾아오셨나요?

뭐,
서로 지지고 볶는
자극적인 관계가
취향이시라면
필요 없겠지만요.
어쨌든
원하는 쪽으로
말씀만 하십시오.

대체
그 남자가
어디서부터
그렇게
돌아 버린 건지
짐작도 안 간다.

사하라 님.

이제 와서
뻔뻔하고 염치없는
소리라는 건
잘 알지만….

제가 만약
황궁으로
돌아갔는데,
그 선택을 죽도록
후회하게 된다면
그때는….

그때는
나를 만나는 바람에
인생을 빼앗겼다고,
평생 원망해도
들어 줄게.

오히려
평생이 아니면
싫은걸.

이제는
어떤 게 불행이고
행복인지
구분이 안 간다.

분명한 건
자유로운 여생 따위
있을 것 같지
않다는 거야.

오셨습니까.

이쯤에서
합류하겠거니 하여
마차를 준비해
뒀습니다.
타십시오.
다
계산해 놨군.
산길이 험해서
고단하셨겠네요.

그러고 보니….

이렇게 셋이
한자리에 있는 건
처음인 것 같은….

저기…
저는 그냥 따로
갈까요?
제발 타,
스우.
공기가 썩어.
부디 타세요.
공기가 썩습니다.

네가?
거짓말하고 있네.
심경의 변화가
있었나요?
사하라 님 쪽은
철저히 안 보이는 척
무시하고 있군….

…솔직히 반쯤은
오지 않을 거라
생각했습니다.

인정하고 싶지
않지만…

지금 나는
당신이 좋아요.

틀림없이
바보가 될 것을
알면서도,
결국에는
당신의 뜻을
따르게 될
정도로….

하지만
지금 이 감정이
영원할 거라고는
생각 안 해요.
그러기에,
더 깊어지지
않으려고
노력할 거고요.
그렇게 되면
언젠가
당신 곁을 떠나는
날도 오겠죠.

물론 더 이상
일방적인 명령은
듣지 않을 거예요.
따, 따지고 보면,
사하라 님이 전하보다
높은 거잖아요.
흐응….
맞아!

저도 명령보다
스우가 자발적으로
저를 위해 주는 게
좋으니까요.

어차피
그때까지만이라고
하면…
얼마간은
함께 있어 줄 수도
있어요.

친밀한
관계를 위해
앞으로는
이름으로 부르셔도
괜찮습니다.

…화륜.

사하라 님이
뚱한 얼굴을
하면서도,

용이 비를
내리는 나라

16화

희건이
마부석에 앉는다고 해서
걱정했는데,
생각보다 멀쩡해
보이시네요.
나는
그렇지.
쉴 곳은?

오셨습니까,
전하!

객잔을
빌려 두었으니,
안내하겠습니다.
잠시 쉬었다가
바로 출발할 거니,
대기하고 있어.

킁~~
잠시 쉬는 것으로
될까요?
많이 힘들어
보이시는데.
나 멀미라는 거
태어나서
처음 해 봐….

스윽
스우 님,
다시 뵙게 되어
참으로
감격스럽습니다.
주군의 명대로
이 호정이
앞으로 성심을 다하여
보좌할 것입니다.

…이게 바로
'빌려온 권력'
이라는 건가.
그럼
피로하실 테니
안으로
모시겠습니다.

세 분 편안히
담소 나누시게
위층으로
가시지요.
아,
객잔 안의 사람들은
신경 쓰지 않으셔도
됩니다.

아마…
가까운 친인척
관계자들이겠군….
어차피
내가 있으니
별문제
없을 텐데.

고용된
사람들입니다.
세 사람이
객잔 하나를
통으로 빌리는 건
이상하니까요.

이 정도 되니,
실감이 난다….
스우,

많이 피곤
합니까?
해?
언젠가,
반드시 후회할
선택을
해 버렸다는 걸.

휘익
…….
토할 것 같아, 스우….
말이 겹친 것뿐이잖아요.

여전히 사이는 나쁜 것 같고….

이쪽에 앉아 계시면 알아서 음식을 내올 겁니다.
필요한 게 있으시면 말씀하시구요.

스우,
여기 옆에 앉아.
이쪽으로 앉으십시오.

…….
자리도 넓은데, 각자 앉죠.
아하하!
그럼 전 희건과 입구에서 대기하겠습니다~!

저기….
쓸데없는 신경전은 이제 좀 그만하면 안 될까요?
불편하다고요.

오해야, 스우.
난 우리 사이에 끼어 있을 뿐인 인간 같은 거 신경 안 쓴다고.

나 같으면 그래서 더 의식할 텐데 말이에요.
언제 봐도 참 머리가 나쁘죠, 스우.

너 이 자식, 지금 면전에 대고 누구 얘기를 하는 거야?!
스우, 뭐 드실래요?
그만들 하시라고요.

돌아가기 전에
미리 알아야
할 것 같아서
여쭙는데,
현재
황궁 안 상황이
어떤가요?
혹시나
최악의 상황으로
흘러갈 수도
있는 건지….

최악이라
하면…
군사를 동원해
반란이라도
일으킬까 봐 하는
말씀입니까?
네….
그런 거요.

스우가 저를
선택해 주었으니,
저도 스우를 믿고
말씀드리겠습니다.

최근
암암리에 들리는
소문에 의하면,
애초에 그녀의 아이는
제위에 오를 자격이
안 된다는 이야기가
있습니다.

…자격이
안 된다고요?

라한의
황제가 되기 위해선
필히 제일 먼저
충족되어야 할 조건
두 가지가 있습니다.

하나는
'사지육신이
완전할 것.'

그리고
나머지 하나는
'남성일 것'.
귀비의 아이는
이 조건 중 하나를
충족하지 못했을 거라는
이야기입니다.

그녀의
측근 세력들이
최근 들어 묘한 행보를
보이거든요.
정작 출산 후에
귀비에 대한 충성이
약해졌다는군요.

이로써
유추할 수 있는
이유는
하나뿐입니다.

태어난 아이에게
어떤 치명적인
하자가 있다.

고대엔
용을 불러 이 땅에
비를 뿌릴 수 있는
힘을 가진 것만이
군주로서의
조건이었어.
자격이
간단할수록
명확한 것을….

사지가 멀쩡한
남자가 아니면
안 된다라….
다분히 인간적인
기준이군.

뭐, 어느 순간부턴
용이 나타나지 않게 되어
인간의 시대가 왔으니
인간들만의
규칙도
필요한 거죠.
실제로 라한에서
여성이 제위에
오를 수 없게 된 건
불과 200년도
지나지 않았지요.
과거
어린 여황제께서
출산 중 갑작스레
돌아가시고
후계자 싸움으로
큰 봉변을 겪은 게
계기입니다.

어쨌든
상황은 제법
낙관적입니다.
민심도 민심이지만,
가장 중요한 후계자가
반쪽짜리라면
저를 밀어낼 명분이
부족해요.
그렇다 해서
방심할 순
없지만요.

…정말
그럴까?

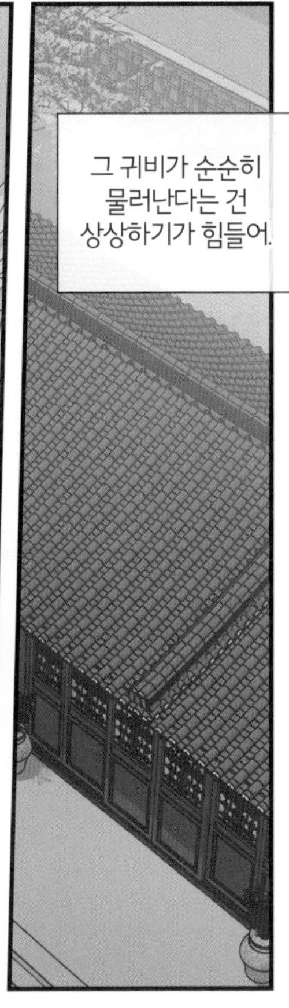
그 귀비가 순순히
물러난다는 건
상상하기가 힘들어.

큭….

크크크…
아하하!!
마마…?
갑자기
어찌 그러십니까?
갑자기
옛날 생각이 나서
말이야….
아~.
난 왜 이렇게
옛날 생각만 하면
웃음이 나는지
모르겠네…?

용이 비를
내리는 나라

공자께서는
참으로
잔인하십니다.
제가 혼담을 좀
거절했기로서니….
소,
소저….
어떻게
여인의 얼굴을
이렇게 만들어 놓으신단
말입니까?
대체 지금
무슨 말을
하시는 겁니까…?

이걸로 시집가긴
글렀네요?

이게 무슨…!
대체 어찌 된
일이야?!
여보!!
아가씨 얼굴에
상처가!!
오라버니!
살려 주세요!
공자께서—.

제게 다른 혼사가
들어온 걸 알고는
갑자기 화를 내시면서
저를…!
이리 피하세요,
아가씨!

대인,
사실이
아닙니다!
이 자식!

이 자식이 감히
내 여동생을—!

그럼 우리 창천을
달라는 곳이 어디
네까짓 놈 하나일 줄
알았더냐?!
집안끼리의
정을 생각하여
그러지 않아도
아쉬운 혼사를
진행했거늘!
형님!
아닙니다!
결코 제가—!

제가 한 게
아닙니다!!
이로부터
6년 후,

창천은
황제의 눈에 들어
입궁하여,

불과 7년 만에
귀비의 자리까지
오른다.

물론
세간의 소문과는
무관하게
귀비 측에서
공식적으로
밝힌 사항은
이렇습니다.
"아이는 아들이 맞으며,
아이에겐 황가의
권능 또한 함께한다."

…두 눈으로
확인하기 전까지는
어느 쪽 입장도
믿을 수 없어요.

저도 그렇게
생각합니다.
그래서….
다른 건 몰라도
권능을 가진 건
사실이야.

확실해.
그 여자를 만났을 때,
수련과 동일한 기운을
느꼈었어.

만약에
수련이 죽는다면
난 그 애를 황제로
옹립하게 할 거야.
그게 아니어도
어지간한 황자들은
귀비가 다 제거해 놔서
그렇게 흘러가긴
하겠죠.

아무튼…
저도 확실히
알아본 바가
있어요.
최근 귀비궁에서
작지 않은 사건이
있었는데….

귀비궁의
시녀 하나가
늦은 밤 몰래…
잠들어 있는
귀비의 황자에게
독을 먹이려고
했다는 겁니다.

자기가 시켜 놓고
남 일처럼
얘기하긴….
아니요.
정말로 제가
아니에요.
소름…
뭐, 저도
기회를 보고 있긴
했지만요.

하지만
운이 나쁘게도
현장에서 귀비에게
발각됐다고 합니다.
쥐새끼
한 마리가
있구나.
헉…!

뭘 그리
굳어 있느냐?

말할 수 있을 때
유언이라도
남겨 놔야지?

하….
기뻐서 웃음이
멈추지 않는구나!

천하의 소창천도
제 자식만큼은 마음대로
하지 못하는 꼴을
보게 되니 말이다!

스우, 손가락에 꿀이라도 발라 놨어?

그만 물어뜯어.

쪽

아….

나도
먹어 볼래.
장난처럼
안 느껴지거든요…?

악!
깨물지 좀
말라니까!
손가락
하나만 줘,
스우….
못 줘.

슬슬 다시 출발하죠. 황궁까지는 호정이 마차를 몰 테니 한결 나을 겁니다.
그거참 다행이네요….

어라?
호국룡께서는 왜 그사이에 쪼그라드셨습니까?
무엄하다!

안이 좁으니까 하나라도 작은 게 낫지 않을까 해서 부탁드렸어요.
현명하십니다~!
먼저 들어가세요, 스우.

앗, 마차가 조금 기울어져 있으니 조심하세요.
조심해, 스우!!

진수련.

아까
질투했지?

난 스우의
인간적인 면이
싫었는데,
지금은 좋아!
인간의 감정은
쉽게 변하니까.
어차피 네가
어떤 자식인지
옆에서 두고 보면
5년도 안 가겠지.
킥
킥
킥

……,

깜짝!
쾅!
아!!

왜
애를 때리고
그러세요?!
으아아아아아아앙!!!
스우!!
그냥 옆에
있길래요.

용이 비를
내리는 나라

17화

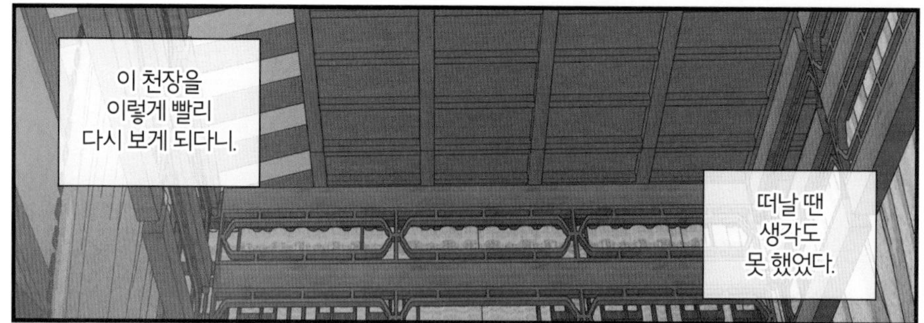
이 천장을
이렇게 빨리
다시 보게 되다니.
떠날 땐
생각도
못 했었다.

어제저녁
겨우 황궁에
도착했지….

오자마자 뻗어서
언제 잠들었는지
기억도 안 난다.
스우 님!!

일어나셨습니까?
쭉 기침하시기를
기다리고
있었습니다!

어제 태자 전하께
설명을 들으시지
않으셨습니까?
전혀
들은 바가
없는데요.
전하께선
오늘 일정에 대해
알고 계실 거라고
말씀하시던데요?

아….
오늘 라한의
십이세가 중 하나인
린 가문의 가주님께서
입궁하실 겁니다.

그러고 보니
어제….
이전에 쓰시던 방을
그대로 준비했습니다.

내일 당장
중요한 손님이
오시는데….
네….

…우선
여정이 고되셨을 테니
푹 쉬십시오.
―그런 말을
들은 것 같기도
하고….

린씨 가문은
대대로 궁주를 모시고
또, 배출해 온 역사 깊은
집안이었습니다.
이전 궁주께서도
그 일원이시고요.
아니, 본인 손님이란
얘기 아니었어요?!
그런 줄 알았는데….

몹시 어렵게
걸음하시는 분들이니
제대로 된 차림으로
맞이해야 합니다.

그렇게
대단한 분들이
왜 오는데요?

당연히 스우 님과
호국룡을 직접
뵙기 위해서죠!

스우 님께서는
차기 궁주로
거론되시는 인물이
아닙니까?!
태자 전하와
호국룡께
인정받으신
귀한 분이시잖아요!

아니…. 태자 전하는
신궁에 앉혀 놓을
허수아비로 나를
찾는 것뿐이니까….
린 가주는
보수적인 분이라
일단 머리는
가리겠습니다.
(안 들음)
사하라 님은요?
안 보이는데.

호국룡께서도
곧 오실 겁니다.

잠시 용소로
돌아가 계십니다.
그쪽이
진정된다고
하시네요.

지금쯤
태자 전하께서는
린 가주님과 오시고
계실 겁니다.

그때까지
잠도 깨실 겸
바람 좀
쐬실까요?
그분들을
맞이하기 전에
주의하실 점을
알려 드리겠습니다.

린씨 가문은
왕조와 상관없이
오로지 신과 궁주만
따릅니다.
그것만을 위해
존재해 온
가문이라서요.
유일하게
황제를 알현할 때에
무릎 꿇지 않아도 되는
가문이며,
정치적으로는
절대적인 중립을
고수하는 것이
이 가문의
특징입니다.
신궁 외에서는 
어떤 직책도
가질 수 없는
가문이고요.
누구보다 오랫동안
용을 기다려 온
가문이지요.
아마….
이국 출신인 스우 님을
무척 싫어할 거예요.
아….
하지만,
어떤 모욕을 듣더라도
그 자리에서 대꾸하시면
안 됩니다.

여기서
이렇게 아래를
내려다보는 것도
오랜만이다.
결코 나서서
태자 전하를
두둔하셔도
안 되고요.

그분들은
태자 전하도 무척
싫어하시거든요.
어째서요?
태자 전하는
이전 궁주께서
잘 보살펴 주신 거로
아는데요.

예. 그래서
이전 궁주께서는
거의 린 가문에서
퇴출당하다시피
하셨습니다.
막상 궁주께서는
전혀 신경 쓰지
않으셨다고
하지만요.
퇴출….

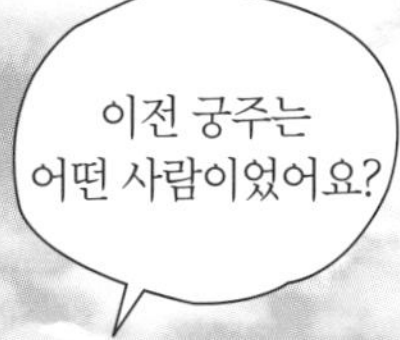
이전 궁주는
어떤 사람이었어요?

전해지기로는
무예, 주술, 학문 분야
모두 뛰어나셔서
제 형제도,
호정 공도, 태자 전하도
함께 가르치셨다고
합니다.
이 궁주가
라한이 망해도
먹고살 기술을
알려 주겠습니다.

음~.
저도 그분에 대해
잘 모릅니다.
제 손윗형제가
어린 시절 그분 아래에서
잠시 수행하여,
들은 바는 있습니다.

도박의 기본은
만국 어딜 가나
비슷하거든요!
왼손을
잘 보세요.

세 분 다 입을 모아
말씀하시기로는
스승으론 존경할 만한
인물이나,
인간으로서는
최악이었다고
하더군요.
대단한 인재이기는 하여
어린 나이에 궁주 자리에
중용되셨고,
한 번 비를 내릴 때마다
제도를 중심으로
반경 이십 리씩은
거뜬하셨다고 합니다.

병환으로
돌아가셨지만
대단한
여성이셨어요.
…여자였구나.

제가 너무 어릴 때
돌아가셔서
저는 그 명성을
다 알지는
못하지만….

태자 전하가
국경으로 떠나는 날,
마지막 인사를 드리다
두 분이 크게
다투셨는데,
얼마 지나지 않아
병환으로 돌아가셔서
전하께서 상심이
크셨다고 해요.

'상심'이라….

어떤
사람이었을까….
스우,
왜 나와 계십니까?

대강 이야기는
들으셨지요?

이 분이
린 가주십니다.
이전부터
스우와 호국룡의 이야기를
들으시고 무척이나
궁금해하셨답니다.

…태자 전하.

드디어
미치셨군요.
안타깝게도,
저는 제정신입니다.
역시….
지금 어디서 
굴러왔는지도 모를,
이 죽도 못 얻어먹은 것마냥
비루한 이방인에게 지금!
라한의 궁주 자리가
적격하다
말씀하시는 겁니까?!
엄청나게
사이가
안 좋잖아….
호국룡께서도
곧 오실 겁니다.
(안 들음)

용이 비를
내리는 나라

린 가주,
누추한 곳에 모시게 되어
이 몸도 유감스럽게
생각한답니다.
달각...

하지만 언제까지나
제위를 비워둘 수도
없는 노릇인지라.
전하의
그 말씀은….

황제 폐하께서
붕어하셨다는 말이
사실이었군요.

가시방석
설마….

태자 전하께서
폐하께 부린 수작은
아니겠지요?
감탄
돌직구!!

이 늙은이는
다 알고 있습니다.

7황자 시절부터
궁주의 뒤에 숨어
호시탐탐 패권을
노려 오신 것을요.

어린것이
어떤 간사한 수로
궁주를 꼬여 냈는지는
모르겠으나—.

간단합니다.

파삭!
바로
이렇게요.

아무리 깊게
살이 베인다
해도….
꽉

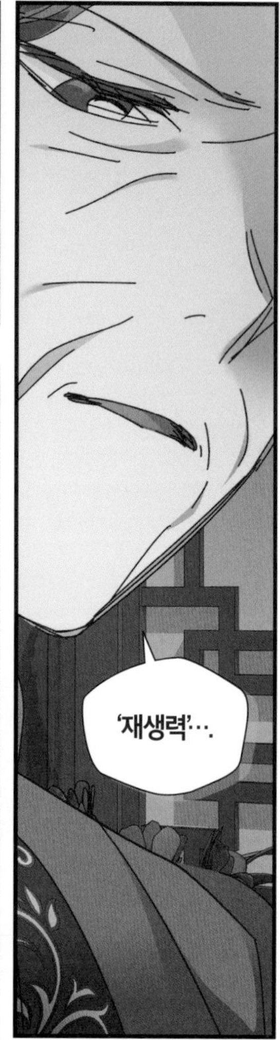
'재생력'….

피가
흐를 뿐,
상처는 없는 것을
궁주께서 알아보신
것뿐입니다.
툭툭

궁주께서는
제가 권능을 가진 걸
한눈에
간파하셨습니다.
그래서 저를
황궁으로 불러들여
주신 것이고요.
그렇다면 어째서
일찌감치 황제 폐하께
정식으로 고하지
않으신 겁니까?!

용이 부재한 지
500년이
넘었는데,
혼자
권능을 가졌다 하여
무슨 이점이
있겠습니까?

당시엔 이미
폐하께서
형님을 후계자로서
총애하고 계셨으니,
갑작스레
사실을 고해 봤자
종묘사직만 어지르는
꼴이었겠지요.

하지만 형님께서
불운하게
돌아가시고….
오랫동안 비가 내리지 않아
고통받는 변방의 소외된
백성들을 마주하니
마음이 크게 동요되더군요.
그리고 그런
간절한 제 마음이
하늘에 닿았는지….

호국룡께서
라한에 강림해 주시지
않았습니까?
…가증스럽다.

호국룡…?
지금 진심으로
하시는
말씀입니까?

물론입니다.
스우, 호국룡을
이 자리로
불러 주십시오.
린 가주라면
신성력이 높으시니
한눈에 호국룡을
알아보실 겁니다.
제, 제가요?

사하라 님께선
용소에 계신다고
들었는데,
전 거기로
통하는 길을
모르는데요….
그냥 소리 내어
부르시면 됩니다.

'스우가 부르면
오겠다'.
하고 제 앞에서도
호언장담했으니까요.

좋지.
어디 한번
냉큼 불러 보시오.
의 심
엄청
사기꾼 보듯이
보고 있잖아….

그, 그럼
부를게요….
어차피
연극처럼 다
짜 놓은 거겠지.
네,
불러 보세요.

사,
사하↗라→ 님?
휘이잉

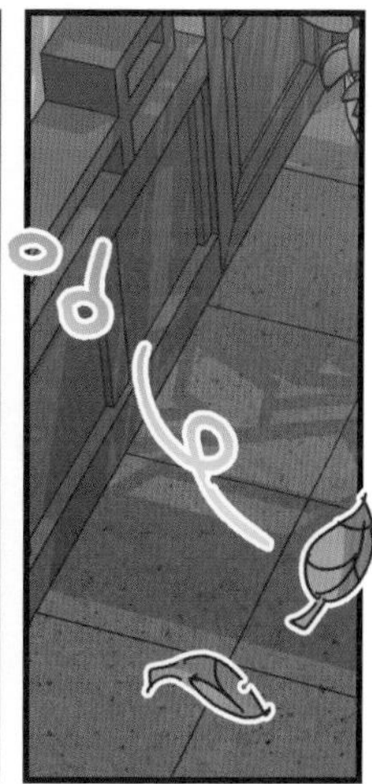

뭐야!
아무 일도 없잖아!
지금 놀린 거죠?!
큭큭큭
인간아!
이 판국에
이러고 싶냐?!

아니…
스우가
민망해하는 게
너무 웃겨서….
해 보라면서요!

불렀어?

너무 어린애
부르듯이 부른다.

처음부터
버릇을 잘못 들여서
그런가?

잘 잤어?
스우 어제 완전
뻗었더라.
그야 오랜만에
집에 왔으니까….
저야 뭐….
오늘 기분
좋아 보이시네요.

호국룡이시여,
저희 린가는 평생을
당신이 강림하길
기다려 왔나이다.

존재하시는 한
목숨을 다하여
섬기겠습니다.

으기양양
하!!
드디어 이 존재를
한눈에 알아보는
현명한 자가
나왔구나!
꽉
축하드려요….

그래서, 결론만
말씀드리자면….

린 가주께서 천명제를 준비하셨으면 합니다.
스우는 경험이 부족하고, 신궁에는 지금 호국룡의 의지를 받들 인재가 없어서요.

…'천명제'?
말 그대로 하늘의 명을 받드는 제사야.
라한에선 500년 전쯤 사라졌지만.
어째서 없어진 거죠?
라한에 용이 더는 깨어나지 않았기 때문입니다.

용이 존재할 때에는 황좌에 앉을 인물을 인간이 선택하지 않았습니다.
용께서 가장 강한 권능을 가진 황족을 선택하셨지요.
이 제사에서 용께서 차기 황제에 대한 신탁을 내립니다.
황제가 후계자를 공표하듯이요.

오롯이
용에 의해 신궁에서만
주관할 수 있는
제사입니다.
천신과 용 외에
어떤 세력도 낄 수 없는
절대 중립의
신성한 제사지요.

용이 공식적으로
존재하고 말고가
끼치는 영향이
어마어마하구나.
통제할 수 없다면
숨기거나
죽이려 하는 게
이해가 가.

태자 전하께서
천명제를 올리라
하심은….
호국룡께서는…

태자 전하께서
다음 황위에 적합하다
생각하시는 겁니까?
…….

…왜
대답이 없지?

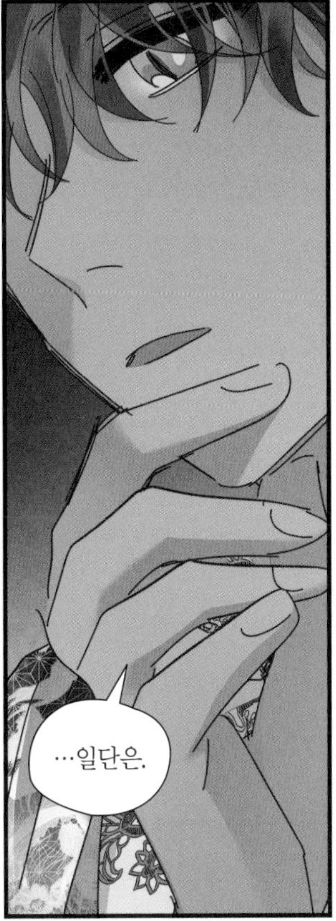
…일단은.

뭐,
약간 신경 쓰이는 점이
있긴 하지만….

이 시점에서
수련이 제위에
오르는 데에
불만은 없어.

그렇다면
알겠습니다.

다소 늦은 질문이오나,
저쪽 분은 어찌하여
함께 오시게 되었는지
여쭤도 됩니까?
스우는
내가 고른
인간이야.

나를 대하듯이
대하면 돼.
아니,
그렇게
설명해 버리면….

알겠습니다.
저게 정말
알겠다는 사람
표정이야?!

왜 그러십니까?
아, 아니….
생각보다
너무….

사하라 님의
말 한마디에
쉽게 스우의 존재를
인정하는 것 같아서
의심스러운가요?
의심까진
아니구요….

모르고
계시는군요.

신을 믿는다는 건
그런 겁니다.

순간 부럽다고
생각했다.

조건 없는 헌신과
맹목적인 믿음을
당연히 누리는 존재의
곁에 있다는 것은,
생각보다
썩…

유쾌하지만은
않은 일이구나.

호국룡께서
직접 고르신
인간이라면,
저희 린 가문은
마땅히 귀공을 궁주로
추대할 것입니다.

다만 분명
주변의 반발도
있을 테지요.
어쨌든 이국인에
불분명한 출신이시니
말입니다.

하늘의 뜻을
어찌 한낱 인간이
헤아리겠습니까?

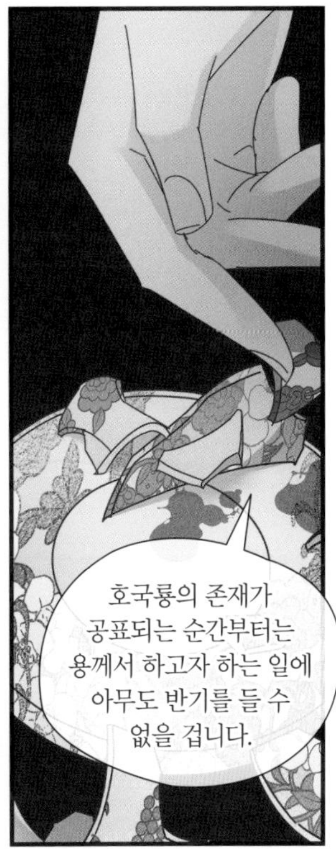
호국룡의 존재가
공표되는 순간부터는
용께서 하고자 하는 일에
아무도 반기를 들 수
없을 겁니다.

백성들은
비만 내려 준다면
새로운 궁주가
눈이 세 개라 하더라도
전혀 문제 삼지
않을 거고요.
…알겠습니다.

저희 린가는
이날까지 라한의 하늘과
가장 가까운
가문이었습니다.
마땅히
호국룡의 의지를 받들어
천명제를
준비하겠습니다.
저기,

호국룡이
현현했다고 밝힌들
그게 진짜 용이라고
어떻게 믿나요?
처음 보는 인물이
갑자기 나타나서
차기 황제를
지목한다면….
직접 눈앞에
보여 주는 것만큼
빠른 게 없지.

천명제에서
인간이 아닌
본 모습으로
현현하면 돼.
물론 주술을 쓴
환영이지만.

진짜 모습을
드러낼 순
없는 건가?

내 본체는
용소 깊숙한 곳에
잠겨 있어.
본체를 현현하면
황궁이 무너질지도
모르는데?
가만 보니
보통 용은 날아다닌다던데
사하라 님은
물에 잠겨 있네요?
용의 모습은 나라별로
어찌 전승되느냐에 따라
그 모습이 다양합니다.

그러고 보니
스우의 출신지 용은
어떤 모양인가요?
라한 쪽에서
용은 조금
파충류 같은
느낌이에요.
파충류?!

거북이나 뱀…
혹은 둘이 합쳐진
느낌일까요?
보통
뱀 쪽으로
상상하는 게
보편적이지.

전 항상
닭 같은 이미지를
상상하고
있었는데요.
닭
조류와 비슷한
모습으로 아신다니
라한과는 제법 먼 지방에서
오셨나 보군요.
아무튼,
태자 전하.

송구하오나
이 몸이 나이가 들어
긴 외출이 힘드니
이만 물러가
보겠습니다.
예, 그러세요.

꿀꺽

…호국룡께선
부디 이 신복(神僕)에
잠시 가르침을
주실 수 있겠습니까?
방금 저쪽엔
긴 외출이
힘들다고 했으면서!

…어려울 것
없지.

금방 갔다 올게,
스우.

웬일로
순순히 들어주네.

…부럽네요.

마음만 먹으면
만인 앞에서
얼마든지…

자신을 분명히
증명할 수 있는 힘을
가졌다는 게요.

존귀하신
태자 전하도
그런 생각을
하는구나.
하긴,
천명이니 운명이니
놀아나는 것에

정해진 신분이
따로 있는 건
아니니까.
사하라 님.

그래,
하려는 말이
뭔데?
만의 하나를
대비하여

귀비의 아이도
한번 만나 보시지
않겠습니까?

18화

…이 신복이
주제넘었다면
사죄드리겠습니다만,
어쩐지
태자의 황위 계승을
망설이시는 듯
보여서요.

…아니,
그보다는 다른 게
뜻밖이라 그래.

…한번
확인해 두는 것도
나쁘지 않겠지.

현명하십니다.

…둘이
무슨 이야기를 하러
나간 걸까요?

말처럼 금방
돌아올 것 같지는
않았죠?
그야
뻔하죠.

귀비의 아이도
한번 만나 봐야 한다고
간언하고 있을 겁니다.
귀비의
아이도요?

용은 인간을
선택하는 존재지,
선택받는 존재가
아니니까요.

린 가주는 제가
사람을 홀리는 데에
대단한 일가견이 있다고
믿는 사람이니,
필시 또 수작을 부려,
호국룡의 눈과 귀를
막고 있다고
생각하겠죠.
악의무리

그렇게
할 수나 있으면
좋으련만.

그건 그렇고,
스우.

이전부터
긴히 한번 제대로
묻고 싶었던 것이
있는데요.
스윽
뭐야,
왜 이렇게 바짝
붙는 거예요.

우리 사이에
뭐 어떤가요?
우리 사이가
뭔데요.

스우가
제게 열렬히
구애하고 있는
사이죠.

스우 말대로
얼마나 갈지는
모르지만요.
스우가 제게 질려서
버림받지 않도록
노력하겠습니다.
본론부터
말하세요.
본론부터.
네.
혹시라도 누군가
듣는 이가 있으면
안 되니….

한 가지
신경 쓰이는 게
있는데….
쓰윽…

이전에 스우가
정신 나간 호국룡에게
제 피를 먹이고
거의
죽다 살아났다고
희건에게
들었습니다만.
네, 사하라 님께
전하의 피는
맹독이란 거 전하도
아시잖아요.

…갑자기
그게 왜요?
비칵
그렇다면
혹시….

귀비 소생의
황자에게 흐르는 피
역시

호국룡에게는
맹독으로 작용하는 것
아닙니까?

…왜 지금까지
그 생각을
못 했지?

충분히
가능성 있는
이야기야.

당장
확인해 볼 수 없어
답답하지만….

만약
제 피에 한해서가 아니라,
'황가의 피'까지
포함하게 되는 거라면…
저쪽도 일단은
호국룡을 죽일 수단을
가지게 되는 거군요.

…사하라 님께
물어봐 둘게요.

그리고
하나 더.

이건
스우의 존재에 대한
의문입니다만,

만약에
호국룡이 죽으면
스우는 어떻게
되는 건가요?
그의 권속으로서
운명을 함께하나요?

아니면 다시 인간으로 돌아오는 건가요?

그,
귀비의 아이가
사하라 님에게도
위협이 된다면….
사하라 님이
뭐랄까, 그….

미리
싹을 제거해
둘 수도 있지
않느냐고요?
그렇게만
해 준다면 이쪽도
정말 더할 나위
없겠지만….

아마
그렇게 하지
않을 겁니다.
감정적으로 보여도
그는 라한 그 자체인
토착신이고, 황가와는
공생관계입니다.

제가 이렇게
살아 있는 것만 봐도
그가 상당히
황가에 관대하다는 걸
알 수 있죠.
어지간해선
권능을 가진 황족을
죽이려 하지는
않을 거예요.

그가 나서 주길
기다리는 것보다
차라리
귀비의 최측근인
주아란의 약점을 잡아
손을 쓰는 게
더 빠를 것 같네요.

…귀비의
최측근에게
약점이라니,
태자 전하는
후궁부에 대해
전혀 모르고
계시는군요.

그녀는
귀비를 위해…
하나뿐인 아들의
목숨까지
바쳤다고요.

주 여관에게
약점 따위는
없어요.

주 여관은 원래 후궁부의 궁녀였다가 출궁해서 혼인하였는데
아이를 낳고 어렵게 생활하는 것을 안타깝게 여긴 궁관이 그녀를 궁으로 다시 불러 주었어요.
마침 그때 후궁부의 모두가 기피하는 자리가 하나 났거든요.

지금은 귀비마마이신 소창천의 시녀 자리요.

제가 아직 국경에 있을 때네요.
풍문으로 귀비마마의 입궁이 상당히 요란했다고 듣긴 했습니다.

저도 먼 곳에서 과연 어떤 여인인지 궁금해했답니다.
…태자 전하도 궁금해하셨다니 의외네요.

형님께서
병으로 돌아가신 뒤,
슬픔에 잠긴 폐하가
직접 들이신
후궁이었으니까요.

'병'…
뻔뻔하긴.
관심을
가지지 않을 수가
없었죠.

7황자이던 저를
태자로 옹립해야 한다고
폐하께 간언한 것이
그녀라고 들었거든요.
욱

듣는 귀가
있을지도 모르니
자리를 옮길까요?

귀비가
어째서요?
아마
눈을 돌리기 위함이
아니었을까요?
진짜를 숨기기에는
가짜를 사용하는 것이
여러모로
용이하니까요.

저를 태자로
내세운 건 귀비가 낳을
'진짜 후계자'를
보호하기 위해서였을
겁니다.

실제로
책봉식만 치렀을 뿐,
제도로 돌아오라는
명은 없었지요.
아마 적당히
국경에서 죽어 주길
바라던 거겠죠.

서너 해 정도 내버려 두면
암살당할 거라 생각했겠지만,
이 몸으로 죽기가
어디 쉽겠습니까.
무훈만 계속 쌓여,
인근 백성들 사이에서
인기가 높아지는 것이 불안해,
별수 없이 황궁으로
불러들인 거겠지요.

황궁에
돌아오고 나서야
저도 귀비를 처음
봤습니다.

듣던 대로
태자 전하께서는
불세출의
미인이시군요.

인사는 되었으니,
물러가서 쉬어라.
어머나.

…소자,
아바마마의
명을 받들어
환궁하였습니다.

…감회가
남다르셨겠어요.
뭐, 그렇다기
보다는….

대체 저 여인은
'무엇'이 다른 걸까,

…어머니와.

그런 생각을
했네요.

따지고 보면
저를 태자로
옹립하는 것과
폐하께 연인으로
사랑받는 것은
모친께도 평생의 염원과
같았을 텐데,

귀비는 단지
수단으로 여기며
쉬이 이루어
냈으니까요.

우습게도
직접 마주하니
생각했던 것보다 더
동요하게 되더군요.
어머니나 저나
팔자가
비슷한 거겠죠.

…폐하께서 진정 귀애하는 여인이었다면, 그리 요란하게 입궁시키지는 않으셨을 거예요.

다른 후궁들의 표적이 될 것이 뻔한걸요.

궁 안에선 찾을 수 없는

희귀한 동물을 키우는 것과 같은 맥락으로 아끼신 것일 수도 있어요.

…….
제 지난 일을
알게 되었다 해서
위로할 필요는
없습니다.
지금에 와서는 
아무래도 좋은
일인지라.

아직 고단할 테니
스우는 이만 돌아가
쉬십시오.
임시 처소이나,
다들 불편함 없이
모실 겁니다.
피차 당분간은
분주할 테니 식사 문제는
시일이나 시간을 정해 두고
사람을 보내도록 하죠.

…또 당분간
만나기 어려운
건가요?
원래 신궁은
황족이라 해도
함부로 드나들기
어려우니까요.
지금까지가
예외였을 뿐.

진짜 주인인
호국룡도 계시니,
앞으로는
제집 드나들 듯,
할 수는 없지요.
이해해
주십시오.

…전하께선
부친 쪽도 많이
닮으신 것 같네요.

…눈에 보이는
곳에 두고
좋은 먹이도 주고,
사람에게
시중들게 하고….

가끔 생각나면
기분 내어
들여다보러 와서
쓰다듬어 주고,
희귀한 동물이라도
된 기분이라
아주 좋네요.

잠깐,
화났습니까?
아니요?
그런 것 치고는
절대 흘려들을 수 없는
발언을 하시는데요.

부황과
닮았다는 말,
취소해 주십시오.
이런 기분으로
스우와 떨어져
지내고 싶지 않아요.
다음에
밥 주러 오실 때
취소할게요.

화내지 마세요,
스우.
꼭...

…사실은 자주
쓰다듬어 주고
싶습니다.

스우가 그와
친밀하게 지내는 걸
이리 자주 보고 싶지
않은걸요.

저라고
아무렇지 않을 순
없다는 거

잘 아시잖아요.

용이 비를 내리는 나라

19화

그렇게
시종 고고하고
자존심 높은
남자가

어떤 얼굴로
말하고 있는지

당장
확인하고 싶다는
생각이 들었다.

돌아보지
마세요….
꽉
저기,
내장이 터질 것
같은데요.
터지면
치료하면 되죠….

휙!

설마
지금 그 말은

질투하는
건가요?

…왠지
의기양양해
보이네요.
그야, 뭐….

질투할 필요가
뭐가 있어요?
결국에는 전부
태자 전하께서
원하는 대로
된 거잖아요.
그 정도는
감당하셔야죠.

저도 그 정도는
감당하고
있으니까요.

어쩌면
내 말이 조금은

그에게
차갑게
들렸을지도
모르겠다.

그렇다는 건
스우도 제가
후궁이나 부인을 들이면
질투한다는 뜻인가요?

하지만
이 감정을
뭐라고
해야 할까.
그건….

그건…

나도 조금은
이 남자를
차갑게 대하고 싶어.

전하가 누굴 만나든
어쩔 수 없는
일이라고 생각하니
걱정하지 마세요.
……..

그는 더 이상
어떤 말도
하지 않았지만,

이미 내 마음을
눈치챘구나 하는
느낌이 들었다.

분명히 좋아하는데,
뭐지, 이 기분은?
마음이 닿으면 점점 베일 것처럼 날카롭게 변해 가.
상대가 내게 상처받은 것 같으면 안심돼.

…….
…….

스우, 나…
상처받았다!!
벌떡!
응, 그래요….
스윽

낮에 수련이랑
무슨 일 있었어?

수련한테
상처 준 거야?

그러고 보니
그 남자가
솔직한 속내를
내보인 건
처음인 것 같은데,
심장이
뛰면서도
내심…

또 약한 척
연기를 하고 있을지도
모른다는 생각이
들었다.

내가 이런 식으로
생각하는 걸 알면
그 남자가
상처받을까?

…솔직히
화륜에게 다른 누군가가
생긴다고 해서
질투할 것 같지는
않아요.

어차피 그 남자는 온전히 내 것이 될 수 없단 걸 잘 알고 있고,

또 절대 자신을 내어 주지 않을 인간이란 걸 알기 때문에.

누군가를 진심으로 아끼고 사랑하는 일이 그 남자에게 가능할 리가 없으니까.

어느 순간부터
그런 연민이 든다.
스우,
그럼 나는?
꼭~
아~
거참 피곤하다….
그가 알면
분명히
웃겠지만….

스우는 내가
다른 사람 만나면
어떨 거 같아?

그럴 마음은
있고요?
쭙
쭙
없떠!

아,
어린 모습으로
다른 사람을 따른다면
좀 화날지도…?
이상한
기준이네.

난 스우 거니까~
마음대로
질투해도 돼!
나도 엄청
질투하는걸.
사하라 님은
좀 덜할 필요가
있어요….

아, 그러고 보니
사하라 님이야말로
낮에 린 가주랑 소곤대더니
어딜 다녀온 거예요?
누구 만났어요?

…….

귀비궁에
갔다 왔어.
황자를
확인하러.

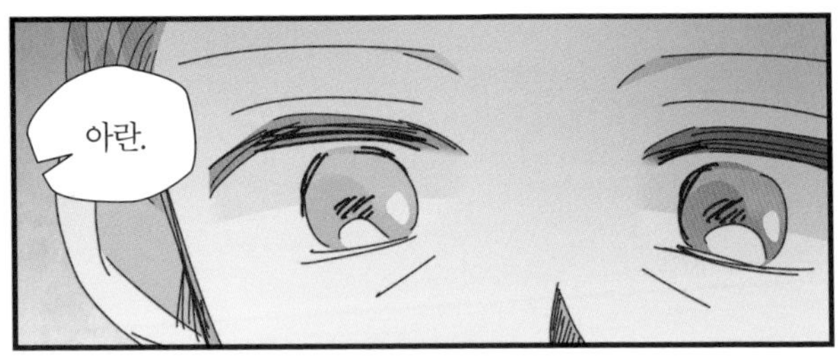
아란.

혼자
우두커니 서서
뭘 하느냐?
귀비마마.
아기씨께서
잠자리가 불편한지
갑자기 울기
시작하셔서요.

지금 간단히
몸을 닦아 드리고
침의를 갈아입혀 드린
참입니다.
유모는
어디 가고?

풍한이
들었다고 합니다.
아기씨께
옮길까 염려되어
모레까지 나오지 말라
일렀습니다.

아아, 그랬지….
그래서 아가는?
태의라도 부를까?
마마께서
염려되시면
그리하셔도 좋을
듯합니다만….

제 소견으로는
그저 잠이
얕을 뿐이셨던 것
같습니다.
이런,
눈이 반짝거리는 게
금방 다시 잠들기는
틀린 것 같구나.

모친이신 마마께서
조금만 안고 달래 주시면
안심하고 금방
잠드실 겁니다.

아란,
네가 안고
있어 주렴.

아쉽게도
나한테는
아이를 재우는
재주가 없네.

이리 데리고
나오거라.
잠들 때까지
아이 얼굴을
보고 싶구나.

마마.

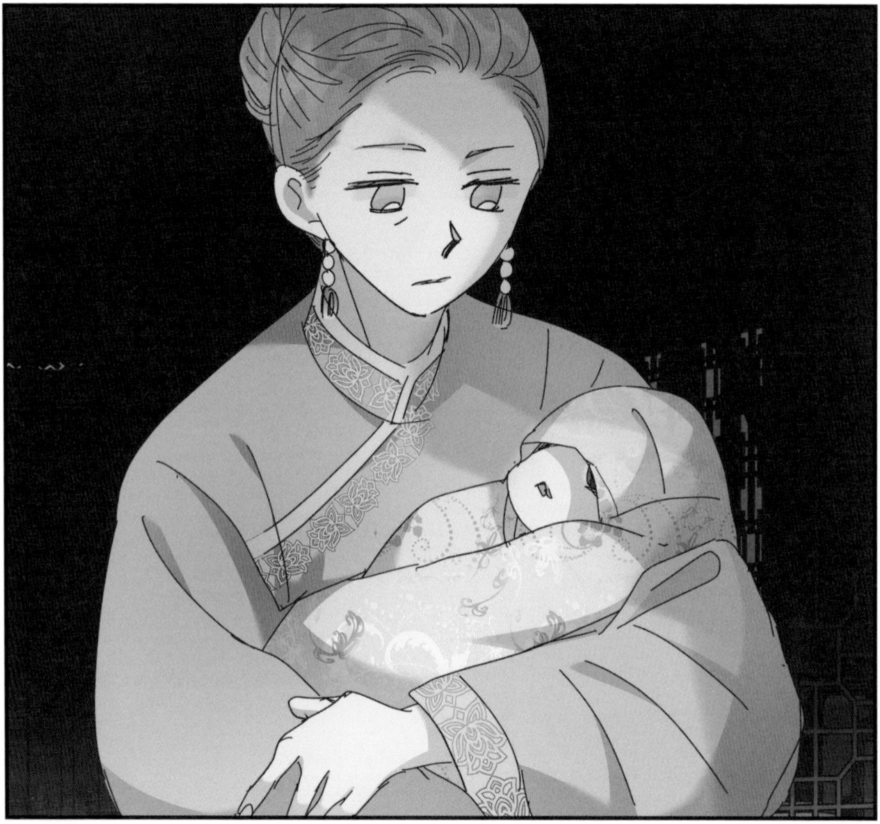

뭘 그리
딱딱하게
서 있느냐.
이리 와
곁에 앉거라.

후후,
역시 이 애는
어느 쪽도
닮지 않았어.
하찮은 것들이
떠들기 좋을 만도
하구나.
아이는
하루가 다르게 변하니
하찮은 말들에 귀를
더럽히지 마십시오.

이 아이를 낳고
내가 벌을 받았다고
하더구나.

기껏 태어난 아이가
연약하기 짝이 없는
'여자아이'니 말이야.

솔직히
대답해 봐.
아란,
너도 그렇게
생각하니?

거짓을 고한다면
아무리 너라 해도
용서하지 않겠다.
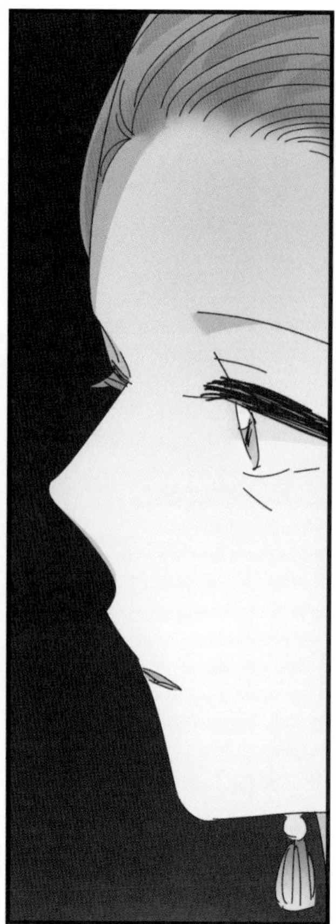

감히 누가,
누구를 대신하여
귀비마마께
벌을 내릴 수 있단
말입니까?

저는
궁관으로 지내는 동안
수많은 황자를
봐 왔습니다.
귀비마마의 아이는
다른 황자들과
다를 바 없습니다.

제 눈에는
지극히 평범한 아이로
보입니다.

호국룡께서는
인간에 대해 다시
연구하셔야겠군요.
인간 흉내가
이렇게
어설프셔서야.

파앗…
네가 인간치고
눈치가 빠른 게
아니고?

이 몸은
상인의 딸로 태어나
진짜와 가짜를
구분하는 데 제법
뛰어나답니다.
육신의 모습을
바꿨을 뿐,
가짜라고 할 만한 건
없었어.
뭐, 이 눈으로
그때 그 힘을
확인하지 않았다면
저도 둔갑이라고는
의심하지 못했겠죠.

그래서,
이 몸의 궁까지 몸소 행차하신 건 이 아이를 보기 위해서입니까?

…나는 내가 원하면 어디든 갈 수 있어.

단지 전부터 이 애한테 확인하고 싶은 게 있었을 뿐이야.

이 아이는 장차 라한의 황제가 될 거예요.

자식이란
참 신기하지.

꾹
이 작은 것이
날 위해
뭐든지 해 줄 수
있을 것 같거든.

미리
말하자면,
으아앙!
난 절대
혼자 침몰하는
인간이 아니니까.

…그래서
귀비와 만나고
온 거예요?
응, 뭐…
대충?

그걸로 끝?

그럼 뭐가
더 있어야 해?

남자아이였어요?
진짜 황가의 핏줄이
맞던가요?
응.
남자애가 아닌
여자애였지만.
수련이랑 같은
재생력도
가지고 있었어.

아, 한 가지
다른 게 있다면…
있다면?!

수련이
내게 내린 저주는
수련의 피뿐만
아닌,
황실에 흐르는
모든 피에
해당하나 봐.

그 말은 즉,
화륜의 피처럼
그 아이의 피도
사하라 님께 맹독이라는
소린가요?!
으응….
일단은
그렇긴 한데….

그 인간이
말했던 대로잖아….
엄청 위험한 거
아니에요?!
진정해, 스우.

권능을
갖고 있긴 하지만,
수련에 비해 크게
특출나지는 않아.
수련의 피는
한 방울만 닿아도
치명적이지만,
그 작은 거는
아니거든.

온몸의 피를
다 빼와도
무리일걸.
…그 말은

그 아이의
피를 다 뽑아내면
저주로부터 안전하다는
뜻인가요…?

왜
죽이고 돌아오지
않은 거예요?
사하라 님께
위협적인
존재인데….

—가만 보면
스우는,

정말 그 여자를
무서워하네.

예전에
괴롭힘이라도
당했어?
괴롭힘도
괴롭힘인데….

언제나 예측이
안 되는 점이
두려워요.

…….

소창천이 늘
승승장구했던 것은
아니다.

그녀가 입궁하기 전,
소 가문의 영지인
소화에서
큰 가뭄이 있었다.

당시 소가가 가진
광산의 갱도가 무너져,
채광이 일 년 넘게
중단된 데다

부친이
새로 벌인 사업이
연이어 기울며
채권이 쌓여 있었고,

채권으로 인해
가문의 재정이
좋지 않았던 때라
시기가 나빴다.

탕!
이러다가는 폭동이 일어날 겁니다!

아버님, 지금이라도 거병을 준비해야 합니다.
채광이 재개될 때까지 버틸 수 있으려나 모르겠구나….

거병한다고요? 둘째 오라버니께선 미치셨군요.
병사들 먹일 식량은 있습니까?
입 다물거라!
감히 너 같은 아녀자가 나설 일이 아니다!

제도에 신관을 요청했는데 아직도 감감무소식이라….
별수 없이 광산이나 땅을 조금이라도 담보로 잡아 봐야겠다.

광산과 땅은 우리 가문의 생명줄과 같으니 그걸 잃을 바엔 죽는 게 낫습니다.

창천의 말이
맞습니다.
제가 직접 제도에
올라가 보겠습니다.

형님께서는
지병도 있으시면서
어딜 가신단
말입니까?!
이게 따지고 보면
다 저 계집애 때문입니다.
그때 그 혼사만 저것이
제대로 받았어도
지참금으로….
그 일에 대해선
창천을 탓하지
말거라!!
네 말대로라면
너야말로 무훈을 세워
황실에 눈도장 좀
찍었으면 될 일이다!

둘 다
그만두지
못하겠느냐!
슥
조만간 저잣거리에
우리 넷의 목이
나란히 걸리겠군요.
그럼,
아녀자는 이만
물러가겠습니다.

창천.

…오라버니.

정말로
무슨 수가
없겠느냐?

그걸 왜 제게
물으십니까?
아버님이나
둘째 오라버니가
알아서 하시겠죠.

네가 어리긴 하나,
이 가문의 그 누구보다
총명하기 때문이다.

수단이 잔인하고
종잡을 수 없긴
하다만,
네가 남자로
태어났다면
그것도
장점이었겠지.

생명이나 윤리를
경시하는 태도만
조금 고친다면
좋겠다만….
…언제나
지루해 보이는구나.
하지만 이 위기를
'극적으로' 벗어난다.

파라.

당시 라한에선
귀족의 무덤을
도굴하는 행위는

삼 대가
거열형에 처해지는
중죄였다.

용이 비를
내리는 나라

20화

오래전,
라한에 한 상인이
있었다.

어느 날 상인은
길에서 가난한 노인을 만나
손해를 보면서까지
도움을 주게 되었는데

그날 밤
그 노인이
꿈에 나와
내일 날이 밝으면
어떤 나무 아래를
파라고
일러 주는 것이다.

그 꿈이
너무나도
생생하여
정말로
그 장소를 찾아가
땅을 파 보니,
엄청난 황금이
묻혀 있었다.

상인은
그 재물을 갖는 대신
신전에 반을 바쳐
라한의 안녕을 빌고
나머지 반은
가난한 백성들에게
나누어 주었다고 한다.

그러자
그날 밤 꿈에
또다시
그 노인이 나와,
이번에는
어느 성문 앞에
곤경에 처한 맹인을
도우라는 것이다.

이번에도
그 꿈이 너무나도
생생했던 상인은
성문으로 향했다.
그곳엔 정말로
불의를 겪는
맹인이 있어,
그를 도왔다.

사실 그 맹인은
암행을 나온
라한의 황제였다.
황제는
상인의 의행을
크게 치하하고

그를
그 지방의 관리로
임명하여
자손 대대로
부귀영화를
누리게 했다고 한다.

이것이
소가의 선조가 된
의로운 상인의
이야기이다.
나 이 얘기
알아….

우리 집에도
비슷한 얘기가 있거든….
이런 일이 비일비재하다니
라한은 신비하구나….
바보냐?
딱 봐도 너네 집,
혼 가문의 설화를
그럴듯하게
각색한 거잖아!
생긴 지
백 년 정도밖에 안 된
가문 따위가 무슨…
시골 촌장급이더만.

천한 상인 출신
졸부 가문이라는
열등감을 이런 걸로
채워 보려는 거지.
호정,
똑바로 앉아.

상인 출신이라
천대하기에 황금은
중요한 가치랍니다.
그래,
오늘 수업은
이걸로 할까.

자,
그러면 이 스승에게
각자 본인이
가장 중요하게 생각하는
가치를 말해 보세요.
대충대충이구만….

황자는?

…'질서'입니다.

질서란 즉,
라한의 체계를
지키는 것입니다.
황족이네.
천씨여,
영원하라~.

저는 당연히
'신앙'입니다.
거짓말….
아마 라한의 백성
백 명을 붙잡고 묻는다면
그중 5할은 **황금**이라고
대답하겠죠.

라한의 백성 중
절반은
가난할 테니까요.
그러니
황금을 가진 자 역시
사람의 마음을 얻기
쉬울 겁니다.

황금은
경계하되,
위정자로서는
놓쳐서는 안 될
가치예요.

창천!!

이게
무슨 짓들이냐!!

털썩...
어떻게 이런
무도한 짓을….

저승에서
조상님들을 어떻게
뵈란 말이냐….
스윽
걱정 마세요,
아버님.

꿈에
선조께서 나오시어
이 창천에게 긴밀히
이리 와서 땅을 파내라
말씀해 주셨습니다.

당시 귀족들은
생전의 권세를
자랑하기 위해,

무덤에
많은 금은보화와
시중을 들던 하인까지
함께 묻곤 했다.

때문에
혹시 모를 도굴을
대비하여
진짜 무덤은
입구를 은밀히
감춰 두었다.
풀숲과 가지에
둘러싸인 입구를
정확히 알아낸 것은
확실히
신묘한 일이
아닐 수 없었다.

어쨌든 이로써
소가는 회생하여
이날의 일은
불문에 부쳐지지만….

보는 눈이 많았으니,
그 일에 대해서
알 사람은 다 알아요.

거기다가
이젠 소화에선
미담으로 내려오고
있다고요….
조상의 유품을 팔아
백성을 도와준 듯한
감동적인 이야기 같은
느낌으로요.
으응….
한 가지는
확실히 알겠어.

화륜이라면
죽었다 깨어나도
못 할 일이긴 하네.

그 사람은…

귀비처럼
직접 실천에 옮기지는
못할 거예요.
누군가를 통해서
그렇게 하게끔
유도할 수는 있겠죠.
본인 모친 무덤은
절대 못 파지 않을까요?
굶어 죽는 한이
있더라도요.
은근히
그런 부분은
섬세해서 웃겨.

무덤이니 사당이니
꾸며 봤자,
거기에는
썩은 시체 말고는
아무것도 없어.

죽으면 그냥
끝인데 말이야.

가끔,

무척이나
차가운 말을 해서
깜짝깜짝 놀란다.
난 스우가 죽으면
스우 시체를 싹싹
전부 먹어 치울 거야.
아, 또 그냥
하나가 되는
어쩌군가요.

뭐, 어차피 냅두면
벌레들이 파먹든
새들이 쪼아먹든
비슷하니까
상관없나….
개네들이랑은 다르지!!
내가 스우를 먹는 건
숭고한 의식이라고~!

아니…
저한텐 심리적으로
셋 다 느낌이
비슷하달까….
싫어!!
빨리 지금 한 말
취소해!!
으응…
잘게요~.

시체니 꿈이니
떠들며
잠에 들어서인지,
그날 꿈에서
나는 정말로
시체가 되어 있었다.

그 남자가
나를 끌어안고
있었으며
나는 어쩌면
그가 울고 있을지도
모른다고 생각했다.

웃긴 것은,
시체가 된 와중에도
무척이나
강렬하게…

그 남자의
우는 얼굴이
보고 싶었다는
것이다.

다만 아쉽게도
그는 평소보다
조금 더 창백하고
지쳐 보일 뿐,
눈물을 흘리진 않았다.

이상하지,
이렇게
좋아하는데.

좋아하는 사람의
우는 얼굴이
보고 싶다니.

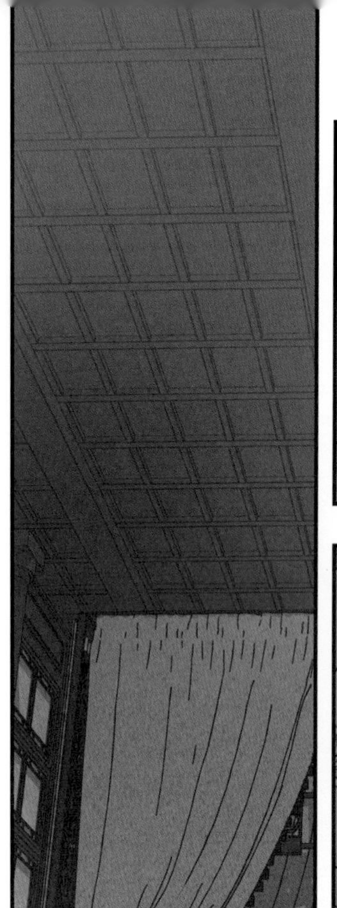

쌔근…

그냥 지금
먹어 버릴까?

먹어 치워 버리면
스우가 제멋대로
굴지도 않고,
수련 자식 때문에
짜증 날 일도
없고….
영원히
내 안에서
나만의 것으로
있을 수 있는데.

만질 수 있고
볼 수 있고
말할 수 있는 게
뭐라고.

인간이랑
대체
다를 게 뭐지?

안아 줄 테니까,
얌전히 자요….

꼬옥…

그대로 날 죽이지 않고 돌아가는 거라면,
분명 후회하게 될 거예요.

넌 인간이면서
자신을 향한 욕망이
전혀 없어.

모든 인간은
광대일 뿐이라는
말이 있답니다.

…세상은
무대이고

제일
좋은 자리에서
보고 싶은 연극이
있거든요.

재밌을 것
같아서요.

…어쨌든
너는 스우를
죽이지 못해.

스우를 죽이는 건
네게 수지가
맞지 않으니까.

그리고 하나 더
알려 주자면
팟!
넌 아직 소중한 걸
잃어 본 적이 없어.

…아란.

아란!
어디 있느냐!

아란!!

아란!!

마마!! 아란,
여기 있습니다!
부르셨습니까?!

이 아둔한 것이…!!
아이를 혼자 두고
대체 어디를
갔던 것이야!!!

…송구합니다.
잠깐 마마께서
드실 약을 지으러
다녀온지라….

…됐다.
약이나
가져오거라.
예, 마마.

…가끔
생각해.

무슨
생각으로,
어떤 마음으로
네가 그때
네 아이 대신
날 선택한 건지.
마마께서 옛일을
말씀하시다니,
드물군요.

…제 아이는
또 낳을 수
있지만

마마께선
제게 영원히
한 분이십니다.

나도
네가 아플 때
내 아이 대신
널 살릴까?
마마!!
농담으로라도
제 앞에서
그런 말씀하지
말아 주십시오.
만에 하나라도
언젠가 그런 선택을
해야 하실 날이
온다면

마마께서 수고로우실 일이 없도록 아란은 스스로 죽을 것입니다.

아란은 은근히 열렬하다니까.

네가 약이나 달이는 사이, 네 모습을 한 호국룡이 다녀갔단다.
예?!! 그게 사실입니까?!!!
응. 그리고….

어쩌면 호국룡을 죽일 수 있는 방법도 알게 된 것 같아.

용이 비를
내리는 나라

21화

그럼
오늘 알려 드릴 것은
여기까지입니다.

탁

장차
궁주 자리에 있을 사람이
그렇게 시종들 하듯
종종거리면
되겠습니까?
죄송합니다.
평생 시종으로
살았더니….
굽
신
그 태도를
말하는 겁니다!
어깨를 펴세요!

하아…
하늘의 뜻을 어찌
알겠느냐마는….
이 몸은 이만
물러가겠습니다.

용이시여,
라한을
굽어살피소서….
예,
조심히 가십시오.

뭐 이렇게
할 게 많아….
쿵

나 혼자
뭐 하고
있는 거지….

사하라 님도
계속 린 일족에게
불려 다니느라
바쁘고
그 인간은
원래 바빴고….

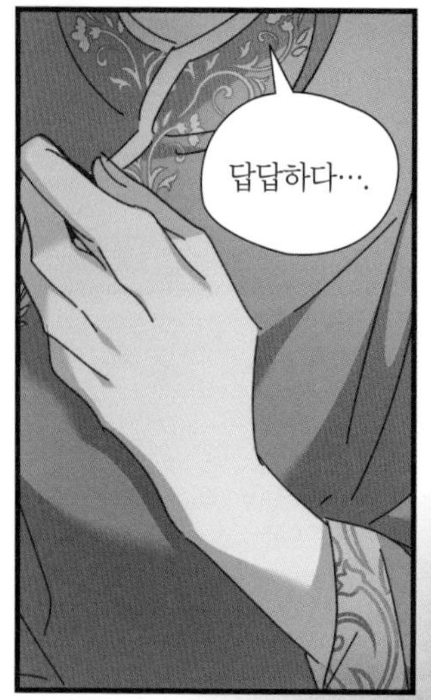
답답하다….

앞섶을 푸니
좀 낫네.

곧 천명제를 거행한다고
신궁에서 라한 전 지역에
공포할 겁니다.

라한의
호국룡의 존재와
새로운 궁주,
그리고 새로운 황제를
한 번에 알릴 수 있는
아주 큰 국사입니다.
절대
실수가 있어선
안 됩니다.

작은 실수도
죽는 날까지
회자할 겁니다.
'죽는 날'까지….

나 정말
죽는 날까지
여기 있는 건가?

아냐.
생각은 그만하자.

답답해지기만
할 뿐이야.

태자 전하.

저기,
혹시 신궁 안에선
혼자 자유롭게
다녀도 되나요?

방 안에서만
지내는 게
답답해서요….

…신궁은 엄연히
호국룡의 것이고
저는 스우를
가둬 둔 게 아니니,
스우가 원한다면
당연히 자유롭게
다니셔도 되지요.
앗, 그렇군요.
그럼….
그런데

꼭 자유롭게
다니고 싶으신
건가요?
아무리
신궁이라 해도
아직 위험할 수
있을 것 같은데….
당분간
최대한 한정된 공간에서
지내 주시는 게 좋지 않을까….
저는 그런 생각이 드네요.

실제로 지금까지
몇 번 스우는
목숨을 위협받지
않았습니까?
필요한 게 있으면
뭐든 준비해 드릴 수 있는데
굳이, 굳이
나가고 싶으신 걸까요?
아, 절대
반대하는 게 아니고
그냥 제 생각이 그러니
참고하시라는 겁니다.

하지만
스우가 돌아다닌다면
저는 너무 걱정되어서
일이 손에 잡히지
않을 것 같네요….
반대하는 건
절대 아니고요.
…….

그래,
뭘 굳이 나가냐….
화륜의
방해가 되려고
돌아온 건
아니잖아.
나도 여기서
할 수 있는 일을
해야지.

그게 말도 안 되는
연극이라도
최선을 다하는
수밖에 없어.

아무
생각하지 마.
급한 일이라도
있는 사람처럼
경박하게 걷지
마세요!
항상 머리 위에
물그릇을 이고 있다고
생각하십시오!

머리를
비우자.
와
장창
그렇게
하다 보면
분명히….

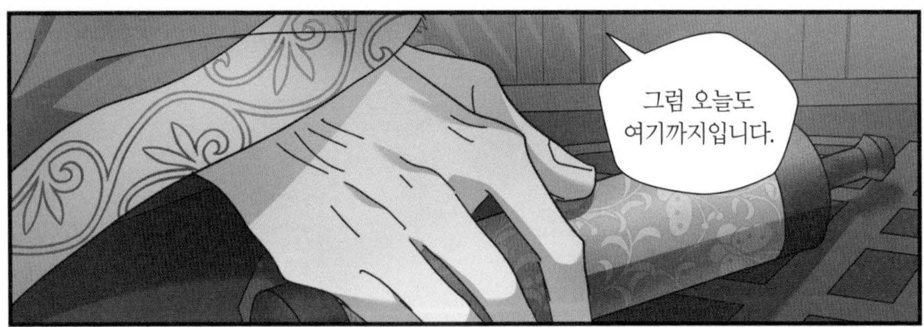
그럼 오늘도
여기까지입니다.

암기와 이해가
느리지는 않아
그나마 다행입니다.

신궁의 가르침을
받는 자로선
한참 부족하니
정진하겠습니다.

…진심이면
좋겠군요.

생각보다
영특하군.

아니,
출신에 비하면
지나치게
영특하다.

린 가주.

돌아가시는
길이군요.

스우는
어떤가요?
혹시 저분께서는
성문을 익히고
계십니까?

성전의 주석을
거의 읽지 않고
바로 해석하는 느낌을
받았던지라.

그게 아니라면
언어적으로 뛰어난
재능이 있습니다.
정식으로 수학하면
남들보다 높은 경지에
오르실 수도
있겠습니다.
뿌듯
칭찬
감사합니다.
…?
왜 본인이?

스우가
좋은 학생이라
일정보다 이르게
돌아가시는 거군요.

스우.

사실 한 자리에서
말씀을 드려야 하나
했는데….

태자 전하…!
열심히네요.

그나저나…
언제쯤 편하게
이름으로 불러 주실지
모르겠습니다.

안 그래도
린 가주에게
주의받고 있어요.
신궁에 있는 자가
비굴하다고요.

빠끌…
하지만
그간 굽실대던 게 있는데
하루아침에 바뀔 수
있을 리 없다고요….
아직
비단옷을 입고
먹을 만지는 것도
적응을 못 해서….

아!
하지만 천명제인지
천신제인지에서는
실수 없이 하려고
최선을 다하고 있으니
걱정하지 마세요.

절대 태자 전하와
모두가 준비한 일에
먹칠하지 않도록
할 테니까요.

그게 말인데….

소창천이
너무 조용한 게
불길합니다.
역시 스우는
천명제에서도 모습을
드러내지 않는 게
좋겠어요.

동귀어진이라는 말과는
좀처럼 어울리지 않는
여인이지만….
소가에서 세력을 모아
거병을 준비하는 듯한
움직임이 있었습니다.

대비는 하고 있지만
천명제 당일에
무장을 하고 들이닥칠
가능성도 완전히
배제할 순 없어서요.

일단 황궁, 신궁
모두 안정이 된 뒤에
궁주로서 정식으로
모습을 드러내도
늦지 않을 것 같습니다.
그렇지 않아도
스우는 계속 소창천에게
목숨이 노려지고
있었으니까요.

…린 가주가
스우는 성실하다고
칭찬하더군요.

그렇다고
너무 애쓸 필요는
없어요.
스우에게
그렇게 많은 걸
바라고 있지는
않으니까요.

아, 그럼요.
무슨 뜻으로 하는
말씀인지 알아요.

린 가주께서
하도 채찍질하셔서
어떻게든 따라가려
노력했을 뿐.
제가 주제넘게
앞에 나서거나 할
마음은 전혀 없어요.
저는 아무것도
안 하는 게
더 편해요!

수련이
신중한 것도
당연해.
스우가 그렇다면
이 몸도 안심입니다.

내 존재는
그의 계획에서
엄청난
변수일 테니.
아.

천명제만
제대로 성사되면
본인이 바로
다음 황제니까….
다들
바빠 보이네.

그러고 보니
예전에도
사하라 님과
이렇게
궁인들이
일하는 걸
구경했었지….

그때는 셋이서
축일에 대해
이야기했었는데….

엄청나게
오래전 일
같아….

어느새 이렇게
더러워졌네.

역시 이런 옷이
제일 마음이
편해….

시종 옷이면 어차피
크게 눈에 띌 일도
없으니까.

잠깐만
돌아다녀 볼까….

이 문 너머는
신궁 밖이다….

여기까지
나와 버렸네.
이만 돌아가자.

스우?
스

스우…
맞지?
…?
누구…?

나 기억 안 나?
후궁부에서 축일 전에
같이 일했었잖아!
아!!

정말이네!
그동안 어떻게
지냈어요?!
내가
할 말이야!
대체 하루아침에
어디로
사라졌던 거니?

후궁부에선
다들 네가
죽은 줄 알아!
아, 그러고 보니
비밀이었지….
그, 그게
갑자기 고향에
일이 생겨서….

마침 잘됐다!
어쨌든
여기 있다는 건
복귀한 거지?
네?!
턱!
이것 좀
네가 **내명부**에
가져다주라!
황궁 문
닫히기 전에
심부름 갈 게
있어서 그래!
네?!

내명부
그걸 이제야 가져오면 어떡해?!
얼른 상의국으로 가 봐!

상의국
네?! 이제 오면 어떡해요?!
이미 진작에 짐수레가 다녀갔는데요?!

관문
아, 확실히 출입 허가증이 나간 짐마차가 있긴 한데…
궁문이 닫히기 전까지 돌아올 수 있겠어?

제도 상점
천명제 전까지 어떻게든 기한 맞춰 수선해 드릴 테니 걱정하지 마세요.
그럼 내일 아침, 사람을 통해 전표를 보내 드리겠습니다.

…….
큰일 났다….

순식간에
신궁 밖은커녕
황궁 밖까지
나와 버렸다….
멍~~
출궁이
이렇게 빠르고
쉬웠던가…?

지금 바로 돌아가야
아슬아슬하게
시간 맞춰 들어갈 수
있을 텐데….
거기, 귀여운
이국 공자님~.

안 사요.
라한 말 몰라요.
정색
아직 아무 말도
안 했는데요….

혼자
울적해 보이는데
이 꽃 줄게요.
스윽

팔다 남은 거니까
돈은 안 받을 테니
걱정 말아요.

……인간으로
변할 줄 안다는 거
왜 그동안
말 안 했어요?
진작 말했음
여러모로
덜 고생했을 텐데.

어떻게
알았지?!
파앗
너무
티가 나잖아요.
더 연습하세요.
내가 그렇게
어설퍼?!

그 꽃은 또
어디서 났어요?
몰라. 그냥
들고 있던 것까지
똑같이 만든 거라.
제가 여기 있는 건
어떻게 알았어요?

아, 그건….
아, 저기….

실례합니다만,
꽃을 몇 송이
살 수 있을까요?
가진 돈이
많진 않아서
적당히요….

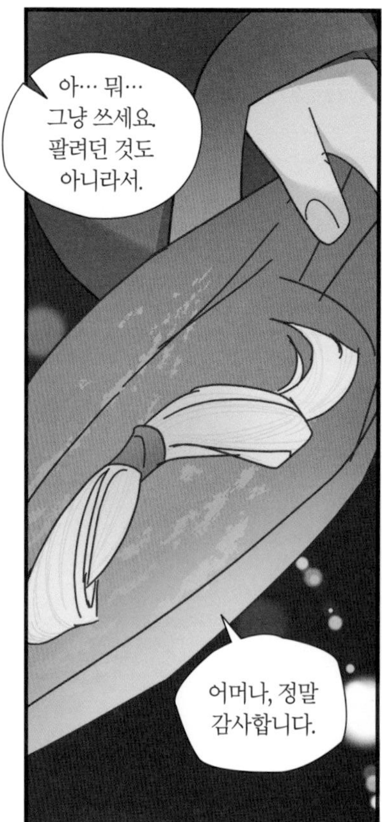
아… 뭐…
그냥 쓰세요.
팔려던 것도
아니라서.
어머나, 정말
감사합니다.

누가
죽었나 보네.
왜 그냥 줘?
스우 공짜로
뭐 주는 거
싫어하잖아.
조용히 해요.

수장(水葬)….

라한의 풍습은
아닌 거로
아는데….
머리카락만
흘려보내는 걸 보아하니
시신은 라한식으로
매장(埋葬)한 뒤인가.

살랑...

누가
죽은 걸까.

울지 마, 스우.

위로해 줄까?

이제서야
문득.

어쩌면
꾸준하게…

이 남자를
상처 입히고
있었을지도 모른다는
생각이 들었다.

역시
안 되겠다.
텁

토할 것 같아.

아하하!
사하라 님 답지 않게
안 어울리는 짓을
하니까 그렇죠!
안 어울리는 짓?

인간 같은 짓.

욕하는 거야?
칭찬하는 거야?

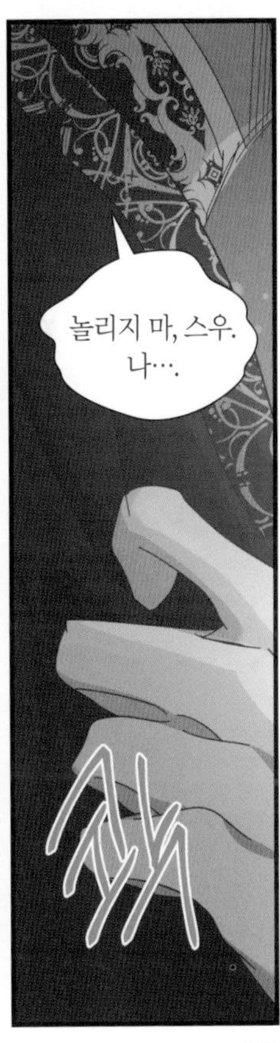
놀리지 마, 스우.
나….

응….

하하.

울 것 같은
얼굴.

바보 같아.

그렇게
자존심 상해할 거면
왜 한 거예요?
버럭!
그야 스우는
수련을 좋아하니까
그렇지!!

빨리 끔찍하게
차여 버려!
위로하려던 거
맞아요?

그리고
수련을 죽여!
위로 맞는 것
같기도 하고….

미안해요.

사하라 님이 엄청나게 싫어하는 화륜으로 변하게 해서요.
지금 여기가 엄청 아팠죠?
콕

왜 사과하는 거야?

…스우한테 사과받아도 별로 안 나아져.
원래 그래요. 그런 걸 인간은 '쓸쓸하고 외롭다'고 해요.

이 느낌을
없애고 싶어.

어떻게
해야 해?
우스운 일이다.

그러게요.
사하라 님은
인간이 아니니
평생 몰라도 될
감정이었을 텐데.
쓸쓸하고
외로운 건
싫다고,
그렇게
오랜 시간
계속해서
생각했는데,

제 평범한 인간으로서의 인생을 망친 업보라고 생각하세요.

하필이면 저와 동화해서 안됐네요.

아직도 없애는 방법을 모른다.

팟
앗

꽈악!
누가
이딴 식으로
돌아가고
싶다고…!
떨어진다!!

꽈악—

언젠가
이 하늘을
본 적이 있다.

누구의
기억이었을까.

저 하늘은
어디서부터
흘러와서

스우, 미안해.
내가 그때
그 마사에서 느낀
스우의 체온이
따뜻해서,
스우의 인생을
망쳤어.

대신 스우도
얼마든지 나를
망쳐도 괜찮아.

그 순간
진심으로
생각했다.

누구도
가질 수 없는

나만의 것.

〈용이 비를 내리는 나라〉 3부. 4권에 계속

3

초판 발행 2023년 8월 31일

글/그림 썸머

펴낸이 이왕호
본부장 곽혜은
편집팀장 장혜경
책임편집 구유희
표지 디자인 최은아
본문 디자인 SONBOMCOMICS 이다혜
타이틀 디자인 크리에이티브그룹 디헌

국제업무 박진해 김수지 전은지 유자영 박이서 남궁명일
온라인 마케팅 박선혜 김경태 박서희
영업 조은결
관리 채영은
물류 최준혁

펴낸곳 (주)디앤씨웹툰비즈
출판등록 2020년 12월 9일 제25100-2020-000093호
주소 서울시 구로구 디지털로26길 123 지플러스타워 1305~8호 (08390)
대표전화 (02)853-0360 **팩스** (02)853-0361
전자우편 book@dncwebtoonbiz.com
블로그 blog.naver.com/dncent

ISBN 979-11-6777-131-5 (07810)
979-11-6777-127-8 (set)

* 잘못된 책은 구입처에서 바꿔 드립니다.